Texte de Claire Pimparé
Illustrations de Guillaume Gagnon

Découvre le bonheur de t'aimer
Crois en toi

C'est dans cette maison
que j'ai appris à m'aimer!

UN MONDE DIFFÉRENT

Il était une fois un petit garçon assis seul près d'un arbre, il semblait tellement triste. Sa grande sœur Kyshanne, qui l'observait depuis un bon moment, s'approcha lentement de son petit frère, s'assit près de lui et lui demanda :

G.Gagnon

Kyshanne : « Tu es tristounet, mon trésor…

Jaydon : – Je suis un bon à rien, je ne réussis jamais rien et personne ne m'aime.

Kyshanne : – Oh là là, ça ne va vraiment pas…. Jaydon, tu sais que je t'aime très fort. J'ai une idée… Que dirais-tu si demain nous faisions une activité, juste toi et moi ?

Jaydon : – Juste nous deux ?

Kyshanne : – Oui, juste nous deux… Qu'est-ce qui te plairait ?

Jaydon : – Je veux faire une activité que je n'ai jamais faite, voir quelque chose que je n'ai jamais vu.

Kyshanne : – Je sais où nous irons… quand j'avais ton âge, je suis allée voir une maison magique. Tu aimerais que je t'y amène ? »

Jaydon lui sauta au cou tout heureux.

G. Gagnon

Le lendemain, Kyshanne et son petit frère partirent à l'aventure.

Kyshanne : « Tu sais, Jaydon, tu vas découvrir quelque chose de très précieux. »

Devant eux se dressait une petite maison colorée, elle respirait le bonheur. Sa poignée, en forme d'un gros soleil, nous invitait tous à y entrer.

Bizarre, elle était si petite que seuls les enfants pouvaient s'y tenir debout !!!!!!!!! Peut-être que les adultes devaient faire l'effort de se voir enfants pour y entrer.

G. Gagnon

La voix : « Viens, entre, je réchaufferai ton cœur qui en a grand besoin. »

Cette maison était dotée d'une magie particulière ; quand on y entrait, on faisait la connaissance d'un enfant exceptionnel.

La voix : « Toi, petit enfant que j'aime tendrement, ouvre le soleil de ton cœur, tu feras la connaissance de l'enfant merveilleux que tu es. »

G.Gagnon

La voix : « Fais confiance à tes yeux ; ici, il n'y a aucun jugement. »

La petite maison permettait à l'enfant de se voir avec des yeux nouveaux. Il regardait chaque toile, comme dans une galerie d'art spécialement conçue pour les enfants, et chaque toile le représentait avec ses qualités, ses joies, ses peines, ses moments uniques. Plus il acceptait de se voir tel qu'il était, avec douceur, plus de nouvelles toiles apparaissaient.

M.G
G.Gagnon

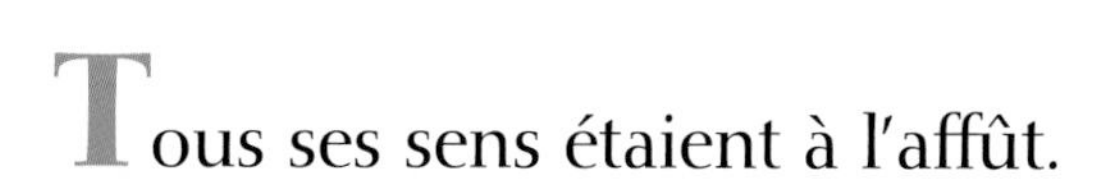

Tous ses sens étaient à l'affût.

La voix : « Tu es surpris de voir comme tu es magnifique ? Pourtant c'est bien toi !

Jaydon : – Je ne me suis jamais vu comme ça, plus je me regarde, plus je le sais que c'est moi.

Jaydon : « Oh ! c'est moi, tout triste avec une larme qui a fait un lac autour de mon cœur.

La voix : – Tu as le droit de pleurer et de permettre à ta peine de se libérer. Maintenant, dis-moi ce que tu vois ?

G.Gagnon

Jaydon : – Je vois ma bonne humeur, j'aime ça quand je fais rire. Oh ! regarde, je prends soin de mon ami.
La voix : – On appelle ça de la tendresse.
Jaydon : – C'est moi qui reçois un câlin, ça me fait du bien.
La voix : – Cher enfant, tu te sens bien parce que tu es en sécurité ; tu y as droit, tu es un enfant.
Jaydon : – C'est vrai que je me sens bien quand maman ou papa me prend dans ses bras.

G.Gagnon

Jaydon: «Oh! regarde, c'est quand j'ai eu peur… L'éclair a illuminé mon toutou pour m'aider à y voir clair et j'ai eu moins peur.

Jaydon: «Je me souviens, le tonnerre avec sa grosse voix m'a dit.

Tonnerre: – As-tu peur avant d'avoir peur, mon trésor?

G.Gagnon

Jaydon : – Mais ce n'était pas le tonnerre, c'était mon père qui est venu me rassurer. J'avais réussi à aller en vélo, sans l'aide de personne… J'étais tellement fier de moi.

«Je ne voulais plus sortir de ma petite maison, elle était à moi, parce que dans cette maison j'avais le droit d'être moi, juste moi, comme je suis.

G.Gagnon

C'était la première fois que je me voyais vraiment avec mes yeux et pas ceux des autres.

La plus belle toile, c'est la mienne où je suis un enfant souriant parce que je me vois avec les yeux de mon cœur.

En sortant de la petite maison, j'étais différent, car pour la première fois, je m'aimais.

Tu es unique!
Et j'ai confiance en toi!

Tu possèdes une chose extraordinaire que j'appelle «le sac à dos de ton cœur». C'est ce qui fait de toi quelqu'un de très spécial… un être unique.

JE M'AIME

Chaque fois que tu découvres tes forces, tu pars à la conquête de ton estime de soi, tu découvres tes talents et ta créativité et tu deviens ce que tu es vraiment. Tu es l'archéologue de tes talents et je te propose de vivre la plus grande aventure de ta vie en partant à la découverte de ce que tu es.

Dans cette aventure, tu découvriras que l'univers est grand. Chaque matière fait partie de ton apprentissage et possède un monde qui lui est propre, et tu réaliseras que ce monde est vaste. Dans la joie, tu découvriras aussi ce que tu aimes et ce que tu aimes moins. Il est possible que tu n'aimes pas écrire, mais que tu adores la lecture, alors vite, mets ce que tu aimes dans «*le sac à dos de ton cœur*» afin de l'avoir toujours près de toi..

Les mathématiques ne te font pas vibrer, mais tu es fier de savoir compter? Place vite ce talent dans «*le sac à dos de ton cœur*» et prends plaisir à utiliser ce que tu y as déposé précieusement. Tu ressentiras du bonheur lorsque tu fouilleras dans «*le sac à dos de ton cœur*». Plus tu seras curieux, plus tu essaieras plein de choses, et plus tu te surprendras à aimer beaucoup plus de choses que tu ne l'aurais cru.

Un jour, tu feras une activité ou tu accompliras un travail et tu te diras : *Je ne suis jamais fatigué quand je fais cela, j'ai hâte de le refaire !»* ou encore, tu te surprendras à te dire : *Je suis tellement bon quand je fais cela, ça me donne plein d'idées et je trouve même que le temps passe trop vite !»*

Lorsque tu te dis ça, mon jeune ami, c'est que le petit archéologue que tu es vient de découvrir sa jeune passion, et tu sais quoi, il t'en reste plein d'autres à découvrir ; car la vie est une grande et merveilleuse aventure, remplie de découvertes.

Accorde-toi le droit d'avoir du plaisir à accomplir tout ce que tu fais, et surtout donne-toi la chance d'avoir confiance en toi et d'avoir foi en ce que tu es.

J'ai un petit exercice à te proposer. Tu seras surpris de constater à quel point tu connais beaucoup de choses.

Moi, j'ai confiance en toi
et je t'aime.

Ton amie
Claire

Prends un beau papier, ton pinceau ou tes crayons :

Je dessine le sac à dos de mon cœur…

Prends un beau papier, ton pinceau ou tes crayons :

Je dessine ceux que j'aime et pourquoi?

Catalogage avant publication de Bibliothèque et Archives nationales du Québec et Bibliothèque et Archives Canada

Pimparé, Claire
Découvre le bonheur de t'aimer : crois en toi : c'est dans cette maison que j'ai appris à m'aimer!

(Collection Bien dans sa peau)
Pour enfants de 5 à 8 ans.

ISBN 978-2-89225-804-2

I. Gagnon, Guillaume, 1975- . II. Titre.

PS8631.I493D432 2013 jC843'.6 C2013-940306-X
PS9631.I493D432 2013

Adresse municipale:
Les éditions Un monde différent
3905, rue Isabelle, Brossard, bureau 101
(Québec) Canada, J4Y 2R2
Tél.: 450 656-2660 ou 800 443-2582
Téléc.: 450 659-9328
Site Internet: www.umd.ca
Courriel: info@umd.ca

Adresse postale:
Les éditions Un monde différent
C.P. 51546
Greenfield Park (Québec)
J4V 3N8

Dépôts légaux: 1er trimestre 2013
Bibliothèque nationale du Québec
Bibliothèque nationale du Canada

Conception graphique de la couverture, photocomposition et mise en pages : OLIVIER LASSER et AMÉLIE BARRETTE

ISBN 978-2-89225-804-2

Nous reconnaissons l'aide financière du gouvernement du Canada par l'entremise du Fonds du livre du Canada (FLC) pour nos activités d'édition.
Gouvernement du Québec – Programme de crédit d'impôt pour l'édition de livres – Gestion SODEC.
Gouvernement du Québec – Programme d'aide à l'édition de la SODEC.

IMPRIMÉ AU CANADA